发现最棒的自己

小熊的咆哮

王坤／著　马亮　肖铮／图

首都师范大学出版社
CAPITAL NORMAL UNIVERSITY PRESS

春寒料峭的三月，森林里到处还冷飕飕的，但棕熊艾玛的心里却美滋滋的。冬眠的日子里，她产下了一只可爱的小熊，并给他取名波顿，这是艾玛第一次做妈妈。

这天，艾玛带着小熊来到刚解冻的河边。她要教会波顿在湍急的河水中捉鱼儿。不一会儿功夫，聪明伶俐的波顿就开始模仿着妈妈的样子下河捉鱼了。

第二天清晨，阳光透过林中淡淡的雾气，唤醒了树洞里的熊妈妈。艾玛舍不得叫醒波顿，她决定独自去捉鱼。

住在森林边的猎人乔治，身穿夹克衫，头戴牛仔帽，脚踏翻毛皮鞋，一大早背着猎枪，在静谧的森林里轻快地走着。这是开春以来，他头一次外出打猎，心情显得有些激动。

乔治来到森林深处，一棵被树枝遮挡着的大树引起了他的注意。乔治小心翼翼地扒开树杈，一个宽敞的树洞露了出来。

洞里柔软的干草上睡着一只胖嘟嘟的小熊。乔治心中窃喜："哈哈，这可是意外收获呀，正好把小家伙带回去，给儿子作伴。"他要趁熊妈妈回来前，赶紧带着小熊离开这里。

乔治把小熊装进网兜里。为迷惑熊妈妈，他特意绕着大树转了好几圈，这才急匆匆地往森林边走去。

睡得迷迷糊糊的波顿，梦见自己在抓鱼。一条硕大的鲶鱼不时蹦出水面，为了追上这条鱼，波顿奋力跳到一块浮冰上。哎呦！这浮冰晃动得真厉害，他吓得大叫："妈妈，救我！"

波顿睁开了双眼，他惊慌失措地看着周围陌生的景物，焦急地想："我被坏人抓了吗？妈妈找不到我，该多着急呀。"波顿情急之下忍着痛，用牙叼下一撮撮毛，偷偷吐到地上，给妈妈留下标记。

乔治背着波顿一路疾走，出了森林。又过了没多久，他就依稀看到了自家院子上空飘起的袅袅炊烟。

森林里，满载而归的熊妈妈艾玛，迫不及待地想见到波顿。她兴冲冲地赶回家，却吃惊地发现挡在洞前的树枝被人挪开了，而且波顿也不知去向。

艾玛强忍焦急，忙着四处查找波顿的下落。可树周围纷杂的脚印，很难辨认出波顿被带离的真正路线。终于，艾玛无意中看到了地上的一簇簇绒毛。

　　熊妈妈沿着记号，一路上走走停停，好不容易找到了乔治的家。她看到波顿已被关进铁笼子里，一个男孩正拿着树枝捅笼子里的波顿。年幼的波顿来回躲闪着，不时发出呜咽声。

熊妈妈艾玛奋不顾身地扑上前，想去解救波顿。可乔治家的院子里突然窜出三条凶悍的猎犬，龇牙咧嘴地拦在她面前。波顿知道妈妈来救自己了，急得直撞笼子，想冲出去找妈妈。

面对这三条猎犬的围追堵截，熊妈妈始终无法冲破障碍。在搏斗过程中，艾玛不幸被黄色的大猎犬咬伤了腿。无奈之下，她只好含泪退回到森林里。

乔治的儿子卡尔今年八岁了，他的小脸上嵌着高耸的鼻梁，上面布满了褐色的雀斑。
　　卡尔常常喜欢把波顿从笼子里拎出来，拿他当马骑。只要波顿的速度一慢下来，就会遭到他的拳打脚踢。

与卡尔相处的日子里，小熊波顿的身上经常伤痕累累。时间久了，只要他一看到卡尔，就会联想到这个男孩的残暴。

在随后两年多的时间里，即使卡尔有时忘记锁上笼门，波顿也不敢有逃走的念头。

熊妈妈常试图营救波顿，卡尔决定练成百发百中的神枪手，来对付熊妈妈。

　　院子里"砰！砰！"的射击声，让波顿心惊肉跳，他暗暗祈祷："妈妈，您放弃吧，不要为了救我再冒险了。"

熊妈妈欣慰地看着自己的孩子一天天长大，但她又为波顿的胆怯与软弱感到痛心。艾玛决心无论如何也要唤醒儿子的"熊"意识，让他重获自由。

这天，熊妈妈终于等来了机会。乔治带着猎犬到森林里打猎去了。熊妈妈伺机咆哮着冲向院子，男孩卡尔急忙掉转枪口，朝艾玛扣动了扳机，子弹无情地射进了她的肩头。

小熊波顿急得对妈妈大喊："妈妈，你快走，不要管我。"熊妈妈却拼命继续往前冲。眼看卡尔又要再次扣动扳机，波顿知道，这次距离太近了，妈妈的性命危在旦夕。

就在这生死攸关的一刻，波顿终于迸发出勇气，他猛地冲出笼子，一掌打飞了卡尔手中的猎枪，并再次挥掌拍向卡尔。卡尔被吓得魂飞魄散，落荒而逃。波顿终于和妈妈团聚了。

在随后的时光里，男孩卡尔在院子里常能听到小熊波顿的咆哮声，这震耳欲聋的声音总是令他胆战心惊。